СОРОКА-БЕЛОБОКА

Сорока-белобока
кашу варила.

4

Кашу варила,
гостей кормила:

Зайчихе – дала:
она воду носила.

Лисоньке – дала:
она дрова рубила.

Белочке – дала:
она зерно молола.

А волку не дала:
– Ты воду не носил,
дрова не рубил,
зерно не молол –
нет тебе ничего.

ЕДЕТ ФОМА НА КУРИЦЕ

Стучит-бренчит по улице,
Фома едет на курице.

Тимошка – на кошке
Туда же по дорожке.

18

– Куда, Фома, едешь?
Куда погоняешь?
– Сено косить.

– На что тебе сено?
– Коровок кормить.

– На что тебе коровы?
– Молоко доить.

– На что тебе молоко?
– Ребяток поить.

24

НАШИ УТОЧКИ
С УТРА...

Наши уточки с утра –

Кря-кря-кря!
Кря-кря-кря!

Наши гуси у пруда –

А индюк среди двора –

Бал-бал-бал!
Балды-балда.

Наши курочки в окно –

Ко-ко-ко!
Ко-ко-ко!

А как Петя-петушок —
Ранним-рано поутру
Нам споёт ку-ка-ре-ку!

ЛАДУШКИ-ЛАДУШКИ

– Ладушки-ладушки,
Где были?
– У бабушки.
– А что ели?
– Булочки.
– А кто булочки испёк?
– Её кошка Мурочка.

– А ещё что ели вы?
– Яйца ели. Всмяточку.
– Угощал вас ими кто?
– Петушок Васяточка.

42

– А что пили?
– Молочко.
Топлёное да с пеночкой.
– Молоко кто наливал?
– Её коровка Леночка.

– А что делали потом?
– Щёлкали орешки.
– Кто орешки те привёз?
– Белочка. В тележке.

– А что делали потом?
– Спали на перинке.
– А перинку кто взбивал?
– Козочка Аринка.

49

ДВА ВЕСЁЛЫХ ГУСЯ

Жили у бабуси
Два весёлых гуся:
Один серый,
Другой белый,
Два весёлых гуся.

Вытянули шеи,
У кого длиннее –
Один серый,
Другой белый,
У кого длиннее.

Мыли гуси лапки
В луже у канавки.
Один серый,
Другой белый –
Спрятались в канавке.

Вот кричит бабуся:
– Ой, пропали гуси –
Один серый,
Другой белый –
Гуси мои, гуси!

Выходили гуси,
Кланялись бабусе.
Один серый,
Другой белый –
Кланялись бабусе.

БЕЛКИНЫ ОРЕШКИ

Сидит белка на тележке,
Продаёт она орешки:

Лисичке-сестричке,

Воробью, синичке,

Мишке толстопятому,

Заиньке усатому.

Кому в платок,
Кому в зобок,
Кому в лапочку.

ТЮШКИ-ТЮТЮШКИ

Катя, Катя маленька,
Катенька
Удаленька,
Пойди по дороженьке
Топни, Катя, ноженькой!

Тюшки-тютюшки,
На горе пичужки.
Там Ванюшка бывал
И пичужку поймал.

Васенька-дружок,
Не ходи на лужок.
Пойдёшь на лужок,
Потеряешь сапожок.

Пришёл кисель,
На завалинку присел,
На завалинку присел,
Поесть Оленьке велел.

Наша Маша маленькая,
На ней шубка аленькая,
Опушка бобровая,
Маша чернобровая.

Валенки, валенки,
Невелички, маленьки,
На резвые ноженьки
Нашему Серёженьке.

Ай, ту-ту-ту-ту-ту-ту,
Не вари кашу круту,
Вари жиденьку,
Корми Митеньку.

Щи да квас
Для тебя у нас.
Ешь, Тарас,
Будешь выше нас!

Кыши-кыши-кыши,
Расти, Тоня, выше,
Расти, Тоня, выше,
До хором, до крыши.

Ножки у Антошки
Идут по дорожке,
Дорожка кривая,
Ни конца, ни края.

– Гуси, гуси!
– Га-га-га!

– Есть хотите?
– Да-да-да!

90

– Ну, летите же домой!
– Серый волк под горой
Не пускает нас домой.

– Что он делает?
– Зубы точит,
Нас съесть хочет.

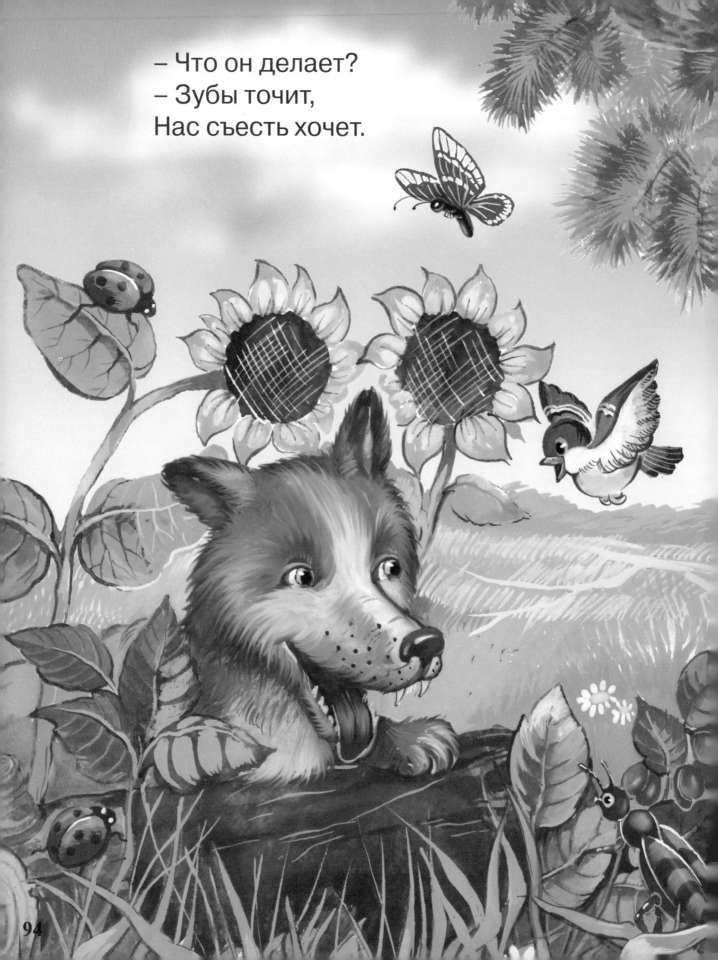

– Ну, летите,
Как хотите.
Только лапки берегите.

СЕРЕНЬКИЙ КОЗЛИК

Жил-был у бабушки
Серенький козлик.
Вот как! Вот как!
Серенький козлик!

Бабушка козлика
Очень любила.
Вот как! Вот как!
Очень любила!

Вздумалось козлику
В лес погуляти.
Вот как! Вот как!
В лес погуляти.

Напали на козлика
Серые волки.
Вот как! Вот как!
Серые волки!

Хотели оставить
Рожки да ножки.
Вот как! Вот как!
Рожки да ножки!

Охотники с ружьями
Вышли из леса.
Вот как! Вот как!
Вышли из леса!

Струсили волки,
В лес убежали.
Вот как! Вот как!
В лес убежали!

Бабушкин козлик
Вернулся домой.
Вот как! Вот как!
Вернулся домой!

УТИ, УТИ...

Трушки-потрушки,
Пекла баба ватрушки,
Ватрушечки,
Колобушечки.

Поехали, поехали
С орехами, с орехами!
Поскакали, поскакали
С калачами, с калачами!

Козонька рогатая,
Козонька бодатая
Убежала за плетень,
Проплясала целый день.

Кузнец из кузницы идёт,
Кузнец два молота несёт.
Тук, тук, тук,
Да ударил разом вдруг!

Воробей-воришка
Залез в амбаришко
Клевать просо
Тупым носом.

Киска, киска, киска, брысь!
На дорожку не садись:
Наша деточка пойдёт,
Через киску упадёт!

Ути, ути, ути…
Ути полетели,
На головку сели.
Сели, посидели
Да опять полетели.

Курочка-тараторочка
По двору ходит,
Цыпляток водит,
Хохолок раздувает
Деток потешает.

115

ВСЕ ЗВЕРИ
У ДЕЛА

Сегодня день целый
Все звери у дела:
Лисичка-сестричка
Шубку подшивает.

Сед медведь, старый дед,
Сапог подбивает.

А сорока-белобока
Мушек отгоняет.

Медведица Маша
Варит детям кашу.

Зайчиха под ёлкой
Метёт метёлкой.

Кошка лыки дерёт,
Коту лапотки плетёт.

По болоту босиком
Кулик ходит с посошком.

ШЛИ БАРАНЫ ПО ДОРОГЕ...

Конь ретивый
С длинной гривой
Скачет, скачет по полям
Тут и там,
Тут и там!
Сюда мчится он –
Выходи из круга вон!

Гори, гори ясно,
Чтобы не погасло.
Стой подоле,
Гляди в поле –
Едут там трубачи
Да едят калачи.
Погляди на небо –
Звёзды горят,
Журавли кричат.
Раз, два, не воронь,
Беги, как огонь!

Аты-баты, шли солдаты.
Аты-баты, на базар.
Аты-баты, что купили?
Аты-баты, самовар.
Аты-баты, сколько стоит?
Аты-баты, три рубля.
Аты-баты, кто выходит?
Аты-баты, это я!

Шли бараны по дороге,
Промочили в луже ноги.
Раз, два, три, четыре, пять,
Стали ноги вытирать –
Кто платочком,
Кто тряпицей,
Кто дырявой рукавицей.

Содержание

Серия "Любимые сказки малышам"
Литературно-художественное издание
Для дошкольного и младшего школьного возраста

ЛЮБИМЫЕ
ПОТЕШКИ
МАЛЫШАМ

*

Редактор *Т. Рашина*
Дизайн обложки *Н. Князева*
Художники
И. Есаулов, Е. Булгакова,
А. Кубеш, И. Шоколо,
Е. Пыльцына, Н. Лантратова,
М. Чубукова, Н. Реброва,
Е. Демиденко, М. Чинчян, С. Болотная
Верстка *Т. Синцова*

*

Торговое представительство:
Ростов-на-Дону
тел. (863) 230-40-21, факс 230-40-23
E-mail: book@prof-press.ru
http://www.prof-press.ru
Донецк (Украина)
тел. (0622) 58-17-97
Киев, Украина
(044) 464-49-46.
E-mail: kredok@i.com.ua

Код по классификации ОК 005-93 (ОКП) 95 3000. Книги и брошюры.
Санитарно-эпидемиологическое заключение
№ 61.РЦ.10.953.П.007352.12.07 от 21.12.2007 г.
Подписано в печать 21.03.08. Формат 84 х 108/16.
Бумага офсетная. Печать офсетная. Гарнитура «Школьная».
Усл. печ. л. 9. Заказ№ 587. Тираж 27 000

Для писем:
Издательский Дом «Проф-Пресс», а/я 5782,
Ростов-на-Дону, 344019, редакция.

Отпечатано в ООО «Издательский дом «Проф-Пресс»,
344065, Ростов-на-Дону, ул. Орская 12В;
тел.: (863) 230-42-02.
Переплётно-брошюровочные работы произведены ЗАО "Книга",
г. Ростов-на-Дону, ул. Советская, 57.